C

Cole, Babette

Le problème avec
ma Grand-mère

Le problème
avec
ma Grand-mère

Pour Rosie, Jim et les garçons
(qui viennent eux aussi d'une planète tropicale)

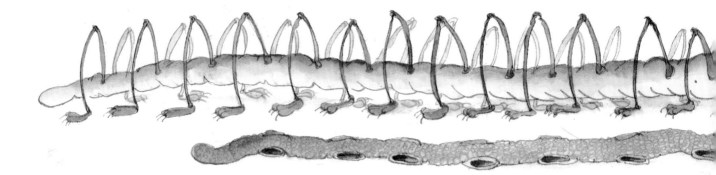

Le problème
avec
ma Grand-mère

Babette Cole

traduit de l'anglais
par Marie-France de Paloméra

EDWIN S. RICHARDS SCHOOL

Seuil

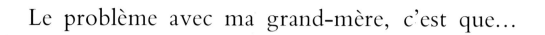

Le problème avec ma grand-mère, c'est que...

...elle vient d'une autre planète !

CLICK CLICK

Au Club du Troisième Age, personne ne s'en doutait...

...jusqu'au jour où notre prof décida d'organiser une sortie à Crachin-les-Flots exprès pour eux.

« Mais nous voulons aller au soleil et nous amuser ! »
s'écria ma grand-mère.

« Asseyez-vous et taisez-vous », dit le prof.

Il faisait un temps de chien à Crachin-les-Flots.

Ma grand-mère faisait la tête !

On est allé voir une opérette.

EDWIN S. RICHARDS SCHOOL

Ma grand-mère n'a pas aimé la chanson !

Et puis il y a eu le concours de beauté.

En tout cas,
elle a mis de l'ambiance
à la fête foraine !

LE MANÈGE ENCHANTÉ

A la machine à sous, on nous a dit de nous en aller.

Au Voyage sur la Lune,
ma grand-mère a retrouvé des copains.

Elle les a invités
au salon de thé !

Du coup on a raté
le car pour rentrer.

Le prof a dit que c'était à cause de ma grand-mère !

Ma grand-mère s'est énervée. « On en a ras-le-bol
de ce trou ! Attachez vos ceintures ! »

Alors on a foncé comme l'éclair vers
la planète de ma grand-mère...

...et on a atterri juste à temps
pour le carnaval !

Ma grand-mère a dansé le limbo…

...et elle est montée au palmier des coco-caleçons.

Nous étions tristes de rentrer,
mais ma grand-mère
devait nourrir son chat.

Nous avons atterri
brutalement dans
la cour de l'école.

Ma mère et mon père ont pris ma grand-mère par le bras :
« Ce n'est vraiment plus de ton âge ! »

« C'est ce qu'on verra... », a marmonné ma grand-mère.

Et, à la maison, elle a ouvert son agence de voyages à elle...

...dans le garage de mon père !

Du même auteur

aux mêmes éditions

Le problème avec ma mère
Le problème avec mon père
Gare au vétérinaire
Princesse Finemouche
Prince Gringalet

Titre original : *The Trouble with Gran.*

© 1987 Babette Cole.
© 1987 William Heinemann Ltd., 10 Upper Grosvenor Street,
London W1X 9PA, Angleterre, pour l'édition originale.
© 1987 Éditions du Seuil, pour la traduction française.

Imprimé à Hong-Kong.

Dépôt légal : avril 1987-N° 9533-2.
ISBN 2-02-009533-5.
(Édition originale : ISBN 0 434 93296 5, William Heinemann Ltd.)